La valentía de Lin

ESTE LIBRO PERTENECE A:

Diario
de un
unicornio

La valentía de Lin

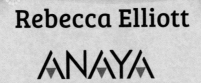

Rebecca Elliott

ANAYA

Para mi mamá. Ella sí que es mágica. R. E.

Agradecimiento especial a Kyle Reed
por sus contribuciones a este libro.

Título original: *Unicorn Diaries 3. Bo the Brave*

Publicado gracias a un acuerdo con Scholastic Inc.,
557 Broadway, New York, NY 10012, USA,
y Ute Körner Literary Agent.

Primera edición: septiembre de 2021

© Del texto e ilustraciones: Rebecca Elliott, 2020
© De la traducción: Jaime Valero, 2021
© Grupo Anaya, S.A., 2021
Juan Ignacio Luca de Tena, 15. 28027 Madrid
www.anayainfantilyjuvenil.com
e-mail: anayainfantilyjuvenil@anaya.es

ISBN: 978-84-698-8871-1

Depósito legal: M-20414-2021
Impreso en España - Printed in Spain

PAPEL DE FIBRA
CERTIFICADO

ÍNDICE

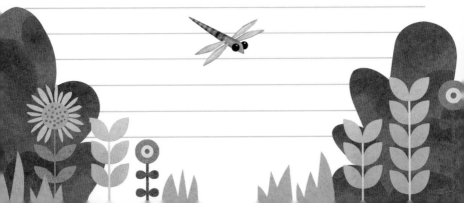

1

¡Saludos chiribíticos!

Domingo

¡Hola, querido diario!

¡Soy tu unicornio favorito, Belinda Brillantina! Aunque todos me llaman Lin.

Vivo en un bosque encantado, conocido como el bosque Titilante.

¡Aquí está! ¡Un lugar **BRILLANTÁSTICO** para vivir!

cascada Arcoíris

cuevas de troles

dehesa Destello

Escuela Titilante para Unicornios

nidos de dragón

prado Boyante

montaña Nievelinda

ápsulas

aldea mágica

laguna
Salpicaplop

fortaleza
de los
duendes

Compartimos este bosque con otras
criaturas mágicas...

¡Como los gnomos! He aquí algunas curiosidades sobre ellos:

Ninfa

Gnomo

Hada

Son las criaturas más diminutas del bosque (¡son aún más pequeños que las hadas y las ninfas!).

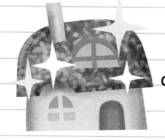

Viven en unas casitas diminutas y brillantes.

Llevan armadura y vuelan montados en libélulas.

¡NIK!

Se asustan con facilidad.

Como ya sabrás, ¡soy un unicornio!

Cuerno
¡Cada unicornio tiene uno diferente!

Ojos
¡Grandes y brillantes! Tenemos muy buena vista.

Crin arcoíris
¡Podemos guardar cosas dentro!
(¡Y son muy bonitas!)

Cola
Al menearla, activamos nuestro Poder Unicornio. ¡Y nos hacemos trencitas!

Pero los unicornios somos MUCHO más que un cuerno de colorines. Aquí te dejo unos datos **CHIRIBÍTICOS**:

Cada uno tenemos un Poder Unicornio distinto. Yo soy un unicornio de los deseos.

¡Puedo conceder un deseo a la semana!

Brillamos cuando nos asustamos o nos ponemos nerviosos.

Nuestros cuernos son ideales para rascarnos la espalda.

No se nos dan muy bien las mates. (Bueno, igual solo hablo por mí).

2+6=???

Vivo con mis amigos en la Escuela
Titilante para Unicornios. ¡Es muy guay!

Este es mi MEJOR amigo, Lorenzo.
¡Puede hacerse invisible!

Lorenzo Endrino

Unicornio cristalino

Mis demás amigos también tienen poderes chulos.

Avellana Piesdeplata

Unicornio volador

Escarlata Terrón

Unicornio de los cachivaches

Jazmín Alhaja

Unicornio climático

Monti Melosi

Unicornio multitamaño

Pipa Bosquealegre

Unicornio sanador

Señor Relumbrón

Unicornio transformista

En la escuela, estudiamos asignaturas **CHIRIBÍTICAS**, como:

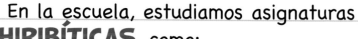

PINTAR CON
PURPURINA

HISTORIA DEL BOSQUE
TITILANTE

CUENTOS
MÁGICOS

Érase una mágica vez...

USO DE PODERES UNICORNIO

Mis amigos y yo tenemos una manta de insignias especial. Cada semana, intentamos conseguir una insignia nueva.

Esas insignias muestran todo lo que hemos aprendido hasta la fecha.

¡Ojalá el señor Relumbrón decida pronto cuál será la de esta semana!

2

Cuentos de miedo

Lunes

Hola, diario:

Perdona si me tiembla la mano, ¡pero es que estoy un poco asustada! Anoche, Jazmín nos contó un cuento para irnos a dormir y... ¡era de <u>miedo</u>!

Era una noche oscura y tormentosa en el bosque...

Cuando terminó el cuento, dejamos encendidos los cuernos porque nos daba miedo la oscuridad (¡hasta Jazmín estaba asustado!).

Cuando nos calmamos lo suficiente
para irnos a dormir, ¡Monti pegó un grito!

Había visto una araña enorme por la
UNICÁPSULA. ¡Menudo respingo
pegamos! Pero la araña resultó ser...

La idea de acampar nosotros solos nos entusiasmó..., pero TAMBIÉN nos asustó un poco.

¡Estoy deseando conseguir la insignia de la VALENTÍA!

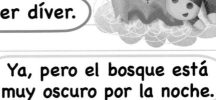

Acampar va a ser díver.

Ya, pero el bosque está muy oscuro por la noche.

Contamos con nuestros poderes... ¡y con los demás!

Si nos mantenemos unidos, todo irá bien.

¡Ojalá tenga razón, diario! Pase lo que pase, ¡va a ser una aventura!

3

Una noche oscura y tormentosa

Martes

Esta mañana hicimos las mochilas para la acampada.

Después nos fuimos trotando a prado Boyante.

Levantamos las tiendas.

Encendimos el fuego.

Y luego cenamos.

¡Qué divertido!

¡No da ningún miedo!

Pero pronto oscurecerá.

Cuando salieron las estrellas, nos metimos en las tiendas. Me sentí muy a gustito con Lorenzo, Pipa y Monti al lado.

Todos estábamos muy animados, hasta que...

De pronto, ¡la puerta se abrió de golpe!

Jazmín, Escarlata y Avellana entraron corriendo en la tienda. Parecían tan asustados como nosotros.

Tendríamos que ser MUY valientes si queríamos averiguar el origen de ese ruido. Así que trazamos un plan.

Escarlata usó su poder de los cachivaches para crear una potente linterna.

Utilizando también sus poderes, Monti se hizo pequeñito y Lorenzo se volvió invisible. Así podrían salir sin ser vistos.

Desde la puerta, alumbramos con la linterna para que Monti y Lorenzo pudieran investigar alrededor de las tiendas.

No encontraron nada interesante.

Pero, entonces, ¡volvimos a oír el ruido!
Entramos al galope en la tienda.

¡Se me ocurrió una idea!

¡Se me ocurrió una idea!

Jazmín, podrías usar tu poder para hacer que llueva. Una tormenta con truenos y relámpagos podría asustar a quienquiera que esté ahí fuera

¡Buen plan!

Así que Jazmín hizo que lloviera durante el resto de la noche.

¡Y funcionó! No volvimos a oír más ruidos raros (¿o quizá fue porque los truenos sonaron más fuerte?). Fuera como fuera, ¡apenas pudimos pegar ojo!

4

Seamos valientes

Por la mañana, estaba MUY cansada.

Ahora que luce el sol,
ya no tengo miedo.

Y han dejado de oírse ruidos.

Pero <u>algo</u> tuvo que hacer esos ruidos.

36

Dormimos por el día para enfrentarnos a nuestros miedos por la noche.

Míranos. Dormidos por el día y despiertos por la noche. ¡Parecemos búhos!

¡Somos BUHOCORNIOS!

¡JA!
¡JA!

Pronto se hizo de noche. Salimos de las tiendas con valentía, a esperar que se repitieran los ruidos.

Esperamos. Y esperamos. Hasta que de repente...

Monti se hizo gigantesco (¡por si acaso había un monstruo enorme al acecho!). ¡El corazón me latía con tanta fuerza que pensé que el bosque entero podía oírlo!

Llegamos hasta un arbusto inmenso.

Monti se asomó por encima del arbusto y se echó a reír.

Trepamos por el arbusto hasta que por fin vimos lo que había estado haciendo esos ruidos...

¡¡¡Gnomos!!! ¡Estaban celebrando una fiesta! ¡El pumba-pumba era el sonido de sus tambores! ¡Y esos IIK tan chillones eran su forma de cantar!

¡Hola, unicornios!

Este es nuestro festival de verano.

¡IIK!

¡PUMB

¡Nos echamos a reír TAN fuerte que nos dolió la barriga! ¡Incluso algunos de mis amigos se cayeron al suelo!

Entonces, ¡Lorenzo rodó sin querer sobre las casitas de los gnomos!

Pero el despiste de Lorenzo hizo que Jazmín, Escarlata y Avellana se rieran <u>aún más</u>.

En ese momento, nos dimos cuenta de que los gnomos no se estaban riendo. De hecho, parecían <u>bastante</u> disgustados.

Sois unos abusones. ¡Como las bestias pardas del cielo!

¡Eso! Las bestias pardas nos roban las casas. Tenemos que reconstruir el poblado cada dos por tres. ¡Y ahora _esto_!

Sin darnos tiempo a responder, ¡los gnomos se fueron volando!

¿¡BESTIAS DEL CIELO!? ¿¿Qué bestias??

Cuando los demás dejaron de reírse, les contamos lo que habían dicho los gnomos sobre las «bestias pardas del cielo».

Seguro que no hay nada que temer. Los gnomos se asustan con cualquier cosa.

¡Y pensar que a <u>nosotros</u> nos asustaron unos gnomos!

Así que Jazmín, Avellana y Escarlata trasladaron su tienda a la otra punta de prado Boyante.

Ay, diario, ya no tengo miedo. Pero estoy triste por los gnomos y por lo que ha pasado con sus casas. Y también por habernos enfadado con nuestros amigos.

¡CORRED!

Jueves

Esta mañana, al despertar, me sentí fatal por la discusión con Jazmín, Avellana y Escarlata.

Cruzamos el prado al galope. ¡Pero
nuestros amigos no estaban en su tienda!

Los buscamos hasta que se hizo de noche.
¡Pero no los vimos por ninguna parte!

¿Y si le contamos lo ocurrido al señor Relumbrón?

¡Sí! Quizá nos ayude a encontrarlos.

Yo creo que deberíamos ser valientes e intentar resolver el misterio solos.

¡Tienes razón! Tracemos un plan.

Nos metimos en la tienda. De repente, Pipa se puso pálida.

Oh, oh. Creo que sé lo que les ha pasado... ¡Habrán sido esas BESTIAS que mencionaron los gnomos!

¿¡Las BESTIAS DEL CIELO se han llevado a nuestros amigos!?

Esto no habría pasado si hubiéramos permanecido unidos. ¡Hay que encontrarlos!

Sabíamos que había que salir al oscuro bosque. Pero estábamos de los nervios.

Meneé la cola para usar mi Poder Unicornio. ¡Ya teníamos armaduras para todos!

¡Si hay bestias ahí fuera, estaremos listos para luchar!

Siento que nuestra armadura no reluzca como la de los gnomos. Pero es resistente.

Nos adentramos en el bosque, sintiéndonos muy valientes.

Hasta que oímos que algo se movía entre los árboles.

¡Deben de ser esas bestias!

¡Nos persiguen!

¡CORRED!

Galopamos a toda velocidad. Pero el sonido nos siguió a todas partes.

Entonces oímos unas voces que venían de una cueva cercana.

¡Dentro estaban Escarlata, Jazmín y Avellana!

¡Qué alegría que estéis bien!

¡Las bestias no os capturaron!

Madrugamos para ir a trotar, pero algo entre los árboles nos persiguió.

Creemos que son las bestias de las que hablaron los gnomos.

¡Nosotros pensamos lo mismo!

Pasamos la noche en la cueva y todos se disculparon. Escarlata, Jazmín y Avellana pidieron perdón por reírse. Y nosotros por llamarles abusones.

Cómo me alegro de que volvamos a ser amigos. Pero, por otra parte, ¡me da <u>mucho</u> miedo que haya bestias sueltas!

¡A por las bestias!

Viernes

Esta mañana, decidimos hacer las paces con los gnomos y conseguir la insignia de la VALENTÍA.

¡Venga! ¡Busquemos a los gnomos!

Trotamos por la zona hasta que oímos un ruido familiar.

Cuando encontramos a los gnomos, les pedimos disculpas de corazón.

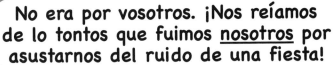

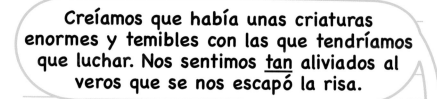

Creíamos que había unas criaturas enormes y temibles con las que tendríamos que luchar. Nos sentimos <u>tan</u> aliviados al veros que se nos escapó la risa.

Y yo siento haber roto vuestras casas. Fue sin querer.

Sabemos que fue un accidente.

Además, como las bestias suelen dejarnos sin casas, se nos da bien construirlas.

Entonces, ¡volvimos a escuchar ruidos entre los árboles! Los gnomos se escondieron detrás de nosotros.

Teníamos MUCHO miedo, pero intentamos ser valientes por los gnomos. ¿Y sabes quiénes bajaron volando desde los árboles?

¡Unas urracas!

Sonreímos mientras ahuyentábamos a los pájaros.

¡Estáis a salvo!

¡Esas «bestias del cielo» solo son urracas!

Les gusta coleccionar cosas brillantes. Les encanta dar un toque de brilli-brilli a sus nidos.

Entonces, ¿se llevan nuestras casitas porque son <u>brillantes</u>?

Sí.

¡Un momento! Tengo una idea para ayudaros.

Escarlata sacó unas monedas de su crin usando su poder de los cachivaches.

¡Vamos a intentar que las urracas se lleven estas monedas brillantes en vez de vuestras casas!

Aunque ojalá sus casas no brillaran tanto.

HMMM.

Tengo lo necesario para construir unas casitas resistentes y menos brillantes: ¡la armadura unicornio!

Ayudamos a los gnomos a reconstruir sus casas. ¡Quedaron monísimas!

Y cuando regresaron las urracas, ¡les encantaron las monedas brillantes!

¡Los gnomos nos invitaron a participar en la última noche de su festival!

¡Nos divertimos como gnomos! ¿Y sabes quién apareció? ¡El señor Relumbrón!

Pensamos que nos íbamos a quedar sin la insignia de la VALENTÍA. Al fin y al cabo, no habíamos luchado contra monstruos temibles. Y nos asustamos MUCHO y nos escondimos en una cueva.

¡Celebramos el desfile de insignias durante la fiesta de los gnomos!

Llegó la hora de despedirse.

7

Lo pasamos de fábula

Sábado

Después de la fiesta, volvimos al colegio. ¡Estábamos MUY cansados cuando llegamos a la **UNICÁPSULA**!

¡Menuda aventura la de esta semana, diario! Pero ser valiente es agotador... ¡Y hasta los héroes unicornio necesitan descansar! ¡Buenas noches!

Rebecca Elliott no tiene un cuerno mágico y no estornuda purpurina, pero aun así tiene mucho de unicornio. Rebecca siempre intenta tener una actitud positiva, le gusta reírse un montón y vive con unas criaturas geniales: su marido guitarrista, sus ruidosos aunque encantadores hijos, unas gallinas chifladas y un gato grande y perezoso llamado Bernard. Le gusta pasar el rato con estos simpáticos personajes y escribe cuentos para ganarse la vida, ¡así que considera que su vida es mágica!

Rebecca es autora de varios álbumes, de una novela juvenil titulada PRETTY FUNNY, de la serie DIARIO DE UN UNICORNIO y de la exitosa colección OWL DIARIES.

LIBROS DE LA COLECCIÓN